Invers

MW00627585

Guía para principiantes sobre el mercado financiero
(acciones, bonos, ETFs, fondos indexados y REITs -
con 101 consejos y estrategias de trading)

Libro de finanzas personales modernas

Publicación de Option-Forex y Russell Future

Introducción

¿Quiere aprender a invertir?

Invertir puede ser una tarea desalentadora. No es fácil saber por dónde empezar, qué hay que hacer a continuación o cuánto tiempo y dinero hay que invertir.

Invertir en los mercados financieros puede ser una tarea desalentadora para cualquiera. Pero no tiene por qué serlo. Esta guía le enseñará todo lo que necesita saber sobre las acciones, los bonos, los ETF, los fondos indexados y los REIT. También incluye 101 consejos y estrategias de negociación que le ayudarán a que su experiencia de inversión sea más exitosa.

Conozca los fundamentos de la inversión en este libro para que, cuando llegue el momento de tomar decisiones sobre sus propias inversiones, tenga una idea de lo que ocurre entre bastidores.

Con esta guía a su lado, siempre sabrá lo que ocurre en el mercado y la mejor manera de aprovechar las oportunidades que surjan.

Tanto si se trata de ahorros para la jubilación como de dinero extra, le mostraremos cómo empezar a invertir hoy mismo. ¿Y si hay alguna pregunta en el camino?

Índice de contenidos

Descargo de responsabilidad

El autor y el editor de este libro no son asesores profesionales. Usted es el único responsable de cualquier daño que sufra por seguir los consejos o la información de este sitio. La información contenida en este libro incluye la opinión personal del autor; no es un consejo de inversión y tiene el único propósito de ser informativo y educativo. Tenga en cuenta que invertir implica riesgos, puede perder su depósito (en parte).

Boletín de noticias

¿Quiere hacer más con su dinero?

El boletín electrónico Investing 2021-2022 es un boletín semanal que proporciona a los lectores consejos y estrategias de trading, acciones, bonos, ETFs, fondos de índice, REITs, opciones de futuros, criptomonedas y más.

Nos comprometemos a proporcionar a nuestros lectores la mejor información, honesta y transparente, para que inviertan sabiamente.

Muy pronto recibirás el primer número del boletín electrónico Invertir 2021-2022. Es 100% gratuito, ¡así que no hay nada que te impida probarlo!

Puede darse de baja en cualquier momento si no le gusta lo que le enviamos o si simplemente necesita un descanso de nosotros. Sin preguntas.

Esperamos que después de leer nuestros correos electrónicos pueda aprovechar las oportunidades antes de que se produzcan y estar al tanto de todas las novedades en materia de inversión. Estamos aquí para ayudar a que su viaje de inversión sea lo más fácil posible!

Suscríbase ahora mismo. Suscríbase a nuestro boletín de noticias por correo electrónico utilizando este enlace.

https://campsite.bio/stellarmoonpublishing

Inversión para principiantes

Una forma muy popular de invertir que cubrimos particularmente en este libro es la inversión en acciones o bonos. También se tratan **los ETF** y los **fondos de índice**.

Empezar a invertir de esta manera es un paso bastante grande para muchas personas que no tienen experiencia en ello. Pero hoy en día invertir en acciones o bonos se ha vuelto muy accesible y fácil. Aprender a invertir ya no es tan difícil y es mucho más fácil que hace unos 10-20 años.

Invertir para los principiantes no es difícil hoy en día. Invertir en **ETFs** buenos, baratos y ampliamente diversificados es accesible para todos. Y ¿sabía usted que esto ha producido rendimientos de una media **del 6-7% anual en las** últimas décadas?

Hoy en día, a través de los corredores de bolsa, ya se puede invertir en más de 3.000 acciones a nivel mundial sin comisiones de transacción invirtiendo en un solo ETF.

¿Qué es un ETF?

Un ETF es un fondo cotizado en bolsa. Un ETF es un fondo que se negocia en bolsa.

Un ETF es un fondo de inversión que pretende conseguir exactamente la misma rentabilidad y riesgo que un **índice bursátil concreto**. Ejemplos de índices bursátiles son el S&P500 y el MSCI World Index.

Los ETF invierten en las mismas acciones o bonos que aparecen en el índice. Lo hacen en la misma proporción en la que están incluidos en el índice. Como un ETF tiene la misma composición que el índice, la tendencia del valor del fondo también sigue la tendencia del valor del índice.

Este método de inversión también se conoce como inversión pasiva. Esto se debe a que se sigue el índice de forma pasiva y no se intenta batirlo de forma activa. Esto último, por cierto, no lo consigue prácticamente ningún fondo de inversión activo a un plazo algo más largo.

El coste de invertir en un ETF suele ser relativamente bajo, sobre todo en comparación con los fondos de inversión de gestión activa.

Por ello, la inversión en ETFs está ganando una enorme popularidad.

¿Qué es un índice bursátil?

Un índice bursátil es la media de precios de los valores, como las acciones o los bonos, que componen el índice bursátil. Un índice bursátil es una medida del estado de ánimo del mercado de valores.

¿Qué es el índice MSCI World?

El índice MSCI World incluye las 1650 mayores empresas por capitalización bursátil (véase más abajo) de 23 países desarrollados. Los mercados emergentes, incluido, por ejemplo, el gigante del crecimiento China, no participan. El 60% de las inversiones dentro de este índice están en empresas estadounidenses.

Por tanto, si se compara con el mercado mundial, en el que Estados Unidos representa algo menos del 50% de la capitalización del mercado, el país está bastante sobrerrepresentado.

Dado que sólo se hace un seguimiento de las 1.650 mayores empresas medidas por capitalización bursátil, las pequeñas empresas apenas están representadas. La capitalización de mercado media del índice MSCI World es de 18.200 millones, y la empresa más pequeña tiene una capitalización de mercado de 435 millones de euros.

El índice sólo tiene un 0,14% de exposición a las capitalizaciones de mercado más pequeñas.

Tipos de índices bursátiles

Los índices pueden estar compuestos de diferentes maneras. Hay índices que incluyen y excluyen los dividendos. Además, el mismo índice puede existir en diferentes monedas, como el dólar o el euro. En ambos casos hay exactamente las mismas acciones en el índice. La única diferencia es que la rentabilidad se calcula en dos monedas diferentes.

También hay muchos índices para bonos, por ejemplo para bonos del Estado o bonos corporativos o para bonos con un determinado vencimiento.

¿Qué es la capitalización bursátil?

La capitalización bursátil es el valor total de las acciones de una empresa según su cotización. La capitalización bursátil también se denomina capitalización de mercado. Se puede calcular la capitalización bursátil multiplicando el número de acciones en circulación por el precio de mercado.

¿Cuáles son los costes de un ETF?

El coste de invertir en un ETF se compone de los costes del fondo (TER, costes de transacción interna), los costes fiscales (fuga de dividendos) y las comisiones de intermediación.

Comisiones de los fondos ETF

Un ETF es emitido por una casa de fondos, como **Vanguard** o **iShares**. La casa de fondos cobra una comisión anual. A menudo se denomina comisión del fondo. Estas comisiones del fondo se componen de varios elementos.

Comisiones de los fondos ETF: TER

La partida más conocida de los gastos de los fondos es el TER. ¿Qué es el TER? Es la abreviatura de Ratio de Gastos Totales. Incluye los salarios de los gestores de fondos, los gastos de marketing y los honorarios de los contables y abogados.

El conocido ETF **VWRL de Vanguard** tiene un TER del 0,22% anual. Así que por cada 100 dólares/euros que inviertas en VWRL, tienes que remitir 22 céntimos anuales a Vanguard por poner el fondo a tu disposición. No tiene que remitir estos 22 céntimos a Vanguard, no tiene que hacer nada para remitirlos. Estas comisiones se reflejan automáticamente en el precio del ETF.

La TER de un ETF puede encontrarse en la ficha técnica o en los datos fundamentales para el inversor, que están disponibles obligatoriamente para cada ETF.

Comisiones de los fondos ETF: comisiones de transacción internas

Un ETF de renta variable debe comprar o vender ocasionalmente acciones para seguir correctamente el índice que imita el ETF. Normalmente, estos costes se sitúan en torno al 0,03% anual. Estos costes no suelen formar parte del TER. Estos costes también se incorporan automáticamente al precio del fondo.

Los costes de transacción internos son más difíciles de encontrar. A veces se mencionan en el informe anual de un ETF. La regla empírica del 0,8% * tasa de rotación de la cartera se utiliza a menudo para estimar los costes de transacción.

Ingresos por préstamo de valores

Los ETF suelen tomar prestados los valores subyacentes para recuperar parte de los costes del fondo. En el caso de VWRL, el rendimiento anual de este préstamo es del 0,007%. Se podrían restar estos rendimientos de los gastos del fondo para calcular los gastos netos del fondo, pero no hay mucha diferencia porque los rendimientos son muy bajos.

Costes fiscales del ETF

Las acciones que componen un ETF suelen pagar dividendos una o varias veces al año. Dependiendo del país de residencia de la empresa que emite las acciones, se retiene una cantidad de impuestos sobre los dividendos. Una parte de este coste fiscal suele ser recuperable y otra no.

Esa parte no recuperable también se conoce como fuga de dividendos. Normalmente, la fuga de dividendos es de alrededor del 0,3% anual para un ETF de inversión global diversificada. Lo mismo ocurre con VWRL.

Puede invertir en un ETF a través de un banco o un agente de bolsa. Varias plataformas le permiten invertir en el ETF VWREL, diversificado a nivel mundial, sin comisiones bancarias ni de intermediario.

¿Qué es un fondo indexado?

Un fondo indexado es un fondo de inversión que trata de conseguir exactamente la misma rentabilidad y el mismo riesgo que un **índice bursátil concreto**. El fondo lo hace imitando ese índice. Los fondos indexados invierten en las mismas acciones o bonos que aparecen en el índice. Lo hacen en la misma proporción en la que están incluidos en el índice.

Como un fondo indexado tiene la misma composición que el índice, la evolución del valor del fondo también sigue la evolución del valor del índice.

¿Qué es un ETF?

Un ETF es un fondo cotizado en bolsa y es un fondo de inversión que trata de conseguir exactamente el mismo rendimiento y riesgo que un **índice bursátil concreto**.

¿Cuál es la diferencia entre un fondo indexado y un ETF?

Los términos ETF y fondo indexado se utilizan a menudo para el mismo tipo de fondo. Oficialmente, hay diferencias entre un fondo indexado y un ETF. Un fondo indexado puede negociarse una vez al día. El precio se determina sobre la base del valor neto de los activos (NAV) al final del día de negociación. Un ETF puede negociarse durante toda la jornada. El precio se determina sobre la base de un precio de compra y otro de venta.

¿Qué es un rastreador?

Un seguidor es un fondo de inversión que trata de obtener exactamente la misma rentabilidad y el mismo riesgo que un determinado **índice bursátil**. El término seguidor se utiliza a menudo tanto para un fondo indexado como para un ETF.

¿Qué es un fondo de inversión de gestión activa?

Un fondo de inversión de gestión activa es un fondo de inversión que intenta batir al mercado. A menudo lo hace con la ayuda de costosos gestores de fondos y equipos de investigación. Lo hacen con un coste medio de alrededor del 1-2% anual.

Se ha demostrado científicamente que, a largo plazo, esto apenas tiene éxito, si es que lo tiene. Los fondos indexados de gestión pasiva siguen un índice con un coste de entre el 0,05 y el 0,4%. Como resultado, casi siempre proporcionan una mayor rentabilidad neta que los fondos de inversión de gestión activa a largo plazo.

Un fondo indexado es un fondo de inversión que, al igual que un ETF, trata de obtener exactamente la misma rentabilidad y el mismo riesgo que un determinado **índice bursátil**. Para ello, el fondo imita ese índice.

Algunos de los aspectos que hacen que un fondo indexado sea un buen fondo indexado son:

1. Bajo coste

Muchos subestiman el efecto del aumento de los costes.

"Sólo" un 0,1% de coste adicional puede parecer poco. Pero si inviertes durante 30 años con la rentabilidad histórica de la bolsa en las últimas décadas del 7% anual, ese 0,1% no se traduce en 30 * 0,1% = 3% menos de rentabilidad, sino en hasta un 21% menos de rentabilidad en comparación con tu depósito.

Esto funciona de la siguiente manera: Si invierte 100.000 dólares/euro durante 30 años con una rentabilidad bursátil del 7% anual, al cabo de 30 años el inversor tiene 761.225 dólares/euro. Con un 0,1% de comisiones, eso significa un 6,9% de rentabilidad.

Después de 30 años, son 740.169 euros. Una diferencia de rentabilidad de más de 21.000 euros sobre el depósito de 100.000 euros por sólo un 0,1% de gastos adicionales. Es decir, la friolera de un 21% menos de rentabilidad en lugar de un 3% menos de rentabilidad en comparación con el depósito.

Además de las comisiones cobradas por el propio fondo indexado, las comisiones de transacción, de custodia y otras similares desempeñan un papel importante.

2. Difusión mundial.

Algunas personas no quieren depender de los buenos o malos resultados de una empresa concreta. Ni siquiera de un sector específico de empresas. Ni siquiera de las empresas que operan en un país específico. Ni siquiera de las empresas que operan en un continente específico.

La participación de Estados Unidos en el crecimiento de la economía mundial está empezando a ser asumida por las economías asiáticas en crecimiento. Es imposible predecir dónde se producirá el crecimiento o si éste se interrumpirá.

Por lo tanto, puede ser prudente invertir lo más ampliamente posible, diversificando globalmente todos los sectores.

3. Replicación física.

Algunas personas sólo invierten en fondos indexados que realmente tienen las acciones y bonos subyacentes en su cartera. Este tipo de fondos indexados también se denominan fondos indexados con réplica física.

Algunas personas no invierten en fondos de índices que replican las posiciones de acciones o bonos que deberían estar en el índice mediante construcciones imprecisas como los derivados. Se trata de fondos de índices con réplica sintética, que benefician principalmente a los propios emisores y bancos.

4. Mínima fuga de dividendos.

Dependiendo del país de residencia de un fondo y de los acuerdos fiscales que el país en cuestión haya hecho o no con su país de residencia, usted pagará más o menos impuestos por sus dividendos.

Por término medio, en los fondos indexados de renta variable tiene que hacer frente a unos costes de entre el 0,1% y el 0,2% de su capital invertido. Esto se debe a que no puede reclamar a las autoridades fiscales parte del impuesto sobre los dividendos retenido por el fondo. Esto se llama **fuga de dividendos**.

5. Un fondo debe ser grande y eficiente

Vanguard Total International Stock ETF (VXUS) y Vanguard Total Stock Market ETF (VTI) es un fondo de renta variable que merece la pena considerar en su cartera.

Combinando VXUS con VTI en la proporción 1:1, tendrá la misma exposición al mercado bursátil mundial que si tomara el Vanguard Total World Stock ETF (VT). Pero con un 0,3% más de rentabilidad al año.

Esto puede variar a una rentabilidad media del 7% en lugar del 6,7% anual por unos costes de más de 61.000 euros de rentabilidad en 30 años por cada 100.000 euros de activos invertidos!

¿Cómo puede ser esto?

VT tiene un coste del 0,14% al año y rinde menos que el índice, aproximadamente un 0,24% al año. VTI tiene un coste del 0,05% y supera al índice en un 0,02%. VXUS tiene un coste del 0,13% y supera al índice en un 0,03%.

Esto se debe a que VT es un fondo mucho más pequeño (9.000 millones de dólares en activos gestionados) que VTI (460.000 millones de dólares en activos gestionados) y VXUS (219.000 millones de dólares en activos gestionados). Esto permite a VTI y VXUS ser mucho más rentables. Así que siguen el índice ampliamente reconocido con más precisión. En la jerga técnica, tienen un bajo error de seguimiento.

El tamaño de un fondo también determina su liquidez, es decir, a qué coste se puede comprar y vender el fondo. Un ETF líquido suele tener unos activos gestionados de 1.000 millones de euros o más y, por tanto, tiene unos **diferenciales** pequeños.

6. El fondo indexado debe seguir con precisión un índice ampliamente reconocido

El fondo indexado Think Global Equity UCITS ETF es un ejemplo de fondo indexado alternativo de renta variable mundial. Sin embargo, este fondo índice tiene un elevado error de seguimiento. Además, sigue un índice que no es ampliamente reconocido. Sigue un índice creado por el propio emisor, el Think Global Equity Index.

En relación con este índice, el fondo tiene un fuerte error de seguimiento de alrededor del 1,2% anual. Sin embargo, es un fondo que no sufre fugas de dividendos, lo cual es beneficioso. Los costes anuales son razonables, del 0,2%.

¿Cuál es la diferencia entre un fondo indexado y un ETF?

Los términos ETF y fondo indexado se utilizan a menudo para el mismo tipo de fondo. Oficialmente, hay diferencias entre un fondo indexado y un ETF. Un fondo indexado puede negociarse una vez al día. El precio se determina sobre la base del valor intrínseco (también llamado valor neto de los activos o NAV) al final del día de negociación. Un ETF puede negociarse durante todo el día de negociación. El precio se determina mediante un precio de compra y venta.

¿Qué es un rastreador?

Un seguidor es un fondo de inversión que trata de obtener exactamente la misma rentabilidad y el mismo riesgo que un determinado **índice bursátil**. El término seguidor se utiliza a menudo tanto para un fondo indexado como para un ETF.

¿Qué es un fondo de inversión de gestión activa?

Un fondo de inversión de gestión activa es un fondo de inversión que intenta batir al mercado. A menudo lo hace con la ayuda de costosos gestores de fondos y equipos de investigación. Lo hacen con un coste medio de alrededor del 1-2% anual. Se ha demostrado científicamente que esto tiene poco o ningún éxito a largo plazo. Los fondos indexados de gestión pasiva siguen un índice con un coste de entre el 0,05 y el 0,4%. Como resultado, casi siempre proporcionan una mayor rentabilidad neta que los fondos de inversión de gestión activa a largo plazo.

¿Qué es la difusión?

El diferencial es la diferencia entre el precio de compra y el de venta de una determinada acción u otro valor. Si quiere vender una acción en la bolsa, obtiene el precio de oferta. Si quiere comprar una acción, paga el precio de compra. El precio de compra es ligeramente superior al de venta. La diferencia entre ambos es el diferencial.

Puede considerar el diferencial como parte de sus costes de transacción.

Cuanto más se negocie una determinada acción, menor será el diferencial.

Para la independencia financiera, la **inversión a largo plazo es** una estrategia probada. A largo plazo, el diferencial tiene poco impacto en el resultado de la inversión. Esto se debe a que es un coste único en la compra que no se repite anualmente.

Significado de la inversión

La inversión es una forma de invertir en la que se compromete el dinero durante un periodo de tiempo más o menos largo con el objetivo de obtener un beneficio financiero en el futuro. Se puede pensar que se trata de renunciar a ciertas cantidades de dinero a cambio de unos ingresos inciertos en el futuro.

¿Qué es una acción? y ¿qué es un bono?

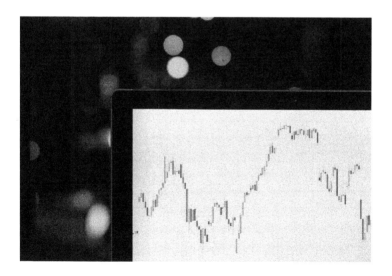

Invertir en acciones

Una acción de una empresa es un título que otorga algunos derechos con respecto a la empresa. Te has convertido en una especie de copropietario de la empresa. Por ejemplo, tiene voz y voto en los asuntos de la empresa a través de la junta de accionistas. Y también tiene derecho a una parte de los beneficios de la empresa, que a menudo se pagan en forma de **dividendos**. Una acción no produce intereses.

Invertir en bonos

Un bono es una prueba de que, por ejemplo, un gobierno o una empresa tiene una deuda con el propietario del bono. Esta deuda se creó porque el propietario del bono hizo un préstamo al gobierno o a la empresa.

Si un gobierno o una empresa necesita dinero para una inversión, por ejemplo, puede obtener la financiación emitiendo un bono.

Un bono suele tener un plazo determinado. Al final del plazo, el emisor del bono devuelve la deuda a la persona que lo posee.

Durante el plazo, el propietario del bono recibe los intereses de la deuda. Si un bono tiene un vencimiento de varios años, el propietario del bono suele recibir pagos de intereses anuales.

Invertir en bonos. ¿Por qué debería hacerlo? ¿Y en qué bonos?

2021: Con los bajos tipos de interés actuales, algunas personas prefieren invertir su dinero en depósitos.

Invertir en bonos: explicaciones y consejos

Los bonos reducen el riesgo

Asumir un riesgo limitado con las inversiones es una buena opción, y los bonos de buena calidad proporcionan menos riesgo que las acciones. Para reducir el riesgo, es conveniente tener en la cartera bonos de al menos calidad de **inversión**.

Una asignación fija de acciones/bonos en una cartera puede ser inteligente. Esa asignación suele basarse en el riesgo. El apetito por el riesgo disminuye con la edad, porque muchos inversores serios quieren poder vivir de sus ganancias a lo largo del tiempo. La venta durante una caída de la bolsa también es menos relevante para los bonos.

Consejo: Utilice su edad como porcentaje de bonos en su cartera. A medida que envejece, se acerca la fase de retirada de su cartera. Durante la fase de retirada, querrá vivir en parte del rendimiento de su cartera y en parte de la ampliación de la misma.

Sin embargo, puede resultar rentable no tener más de un 50% de renta fija en la cartera. Con menos del 50% de renta variable en la cartera se tienen muy pocas posibilidades de rentabilidad y con un máximo del 50% de renta variable durante la fase de retirada el riesgo sigue siendo aceptable.

Los bonos proporcionan estabilidad

Volatilidad

Una segunda razón: Asegurarse de que la volatilidad de la cartera no es demasiado grande.

La volatilidad de la cartera también se conoce como volatilidad. Las acciones son una excelente inversión a largo plazo. Pero a corto plazo pueden ser muy volátiles.

Durante el desplome bursátil de 2008, muchos inversores aprendieron que no quieren poner todo su patrimonio exclusivamente en acciones. Ver cómo se evapora el 40% de un activo serio y no saber cuándo se detiene la caída y sigue la recuperación es demasiado para muchas personas.

Sólo con las acciones, la volatilidad puede ser demasiado grande y estresante.

Los bonos son mucho menos volátiles que las acciones. A modo de ejemplo: Los bonos del Estado estadounidense a cinco años nunca han caído más del 5% anual desde 1926. Además, su valor nunca ha estado por debajo del máximo anterior durante más de dos años.

Anticorrelación

En particular, los bonos del Estado tienen poca o ninguna correlación, o coherencia, con la renta variable. O incluso tienen anticorrelación. Es decir, el precio de los bonos del Estado se mueve poco o nada con el precio de las acciones, o incluso en la dirección opuesta. Si el precio de las acciones sube, el precio de los bonos del Estado puede bajar.

Los bonos corporativos están más correlacionados con la renta variable que los bonos del Estado, especialmente durante las caídas de los mercados bursátiles.

Actualmente, los bonos del Estado tienen una correlación negativa, lo que significa que aumentan su valor en cuanto la renta variable cae. Por lo tanto, los bonos del Estado, en particular, pueden utilizarse para estabilizar una cartera de acciones.

Utilizar los bonos para reequilibrar

En tercer lugar, los inversores utilizan los bonos para reequilibrar.

Por ejemplo, cuando los precios de las acciones caen bruscamente, venden bonos y compran acciones. O al revés. De este modo, la relación entre la renta variable y la renta fija sigue siendo adecuada a su apetito de riesgo.

Sin embargo, el reequilibrio no proporciona rendimientos adicionales.

Por lo tanto, no es necesario reequilibrar para obtener rendimientos adicionales. Pero el reequilibrio es necesario si quiere mantener el perfil de riesgo de su cartera en línea con su apetito de riesgo.

Bonos: rendimiento

Rendimiento

Con los bonos hay que lidiar con diferentes vencimientos. Un bono puede tener un plazo de meses hasta más de 30 años.

En función del plazo, se paga un tipo de interés. Este tipo de interés también se llama rendimiento. El rendimiento indica lo que se recibe en intereses si se mantiene un bono durante 1 año.

Los vencimientos más largos suelen pagar un tipo de interés más alto que los vencimientos más cortos. En los vencimientos más largos, hay más riesgo de inflación. Para compensar este mayor riesgo, el tipo de interés es más alto en los plazos más largos.

Rendimiento al vencimiento

El rendimiento al vencimiento (abreviado YTM), o rendimiento al vencimiento, es una medida útil para comparar los rendimientos de los bonos con diferentes vencimientos. El YTM suele representarse como un tipo de interés anualizado.

A diferencia del rendimiento, el YTM también tiene en cuenta el valor actual de los futuros pagos de intereses de un bono. Para obtener más información de fondo y la fórmula que la acompaña, puede ir **aquí**, por ejemplo.

Curva de rendimiento

El rendimiento del interés frente al vencimiento representado en una imagen da lugar a la llamada curva de rendimiento de un bono. Esta es la curva de rendimiento de los bonos del Estado de Estados Unidos:

El eje x muestra el vencimiento de los bonos en años (y = año), el eje y el tipo de interés correspondiente. La imagen muestra una curva creciente a medida que el vencimiento se alarga. Esto es habitual y se denomina curva de rendimiento ascendente.

Ocasionalmente hay que enfrentarse a una curva de rendimiento con pendiente descendente. Esto suele durar poco tiempo y se denomina curva de rendimiento invertida.

Aquí también la curva de rendimiento de los bonos del Estado europeos de la más alta calidad (AAA) tal y como está:

La subida de los tipos de interés provoca la caída de los precios de los bonos

Los riesgos a los que se enfrenta al poseer bonos son, principalmente, que el préstamo no se devuelva y que el precio baje a medida que los tipos de interés suban.

Al comprar bonos de buena calidad, por ejemplo, al menos de grado de inversión, se reduce el riesgo de que el préstamo no sea devuelto.

El riesgo de que los tipos de interés suban funciona de la siguiente manera:

Supongamos que tiene un bono con un tipo de interés del 4% y un vencimiento de 5 años. Ahora el tipo de interés del mercado sube del 4% al 5%. Entonces, los nuevos bonos emitidos también pagarán un interés del 5% en lugar del 4%. Por ejemplo, ahora puede comprar un bono con un tipo de interés del 5% y un plazo de 5 años. El bono con un tipo de interés del 4% que ya tenía pasa a valer menos.

Esa caída del precio es proporcional al vencimiento medio de su bono. Por ejemplo, si su bono tiene un vencimiento de 5 años, entonces un aumento del 1% en el tipo de interés da una disminución de alrededor del 1% * 5 = 5% del precio del bono.

Por lo tanto, puede reducir el riesgo de depreciación debido a las subidas de los tipos de interés acortando el vencimiento de sus bonos.

Sólo una nota al margen: ¿fondo de bonos o bonos individuales cuando los tipos de interés están subiendo?

Para hacerse inmune a las bajadas de precio de su bono debido a las subidas de los tipos de interés, puede mantenerlo hasta el final del plazo. Entonces se le pagará el valor nominal y mientras tanto sólo recibirá los pagos de intereses.

Sin embargo, con una curva de rendimiento ascendente, como la que hay ahora, tiene más sentido mantener un fondo de bonos con un vencimiento medio fijo que separar los bonos y mantenerlos hasta su vencimiento. Eso proporciona más rendimiento. Véase **este**

interesante estudio de Kitces para conocer los detalles.

¿Los bonos o el ahorro como componente estable de su cartera?

Cuenta de ahorro = bono con vencimiento a 0 años

Se podría considerar que una cuenta de ahorro de libre disposición en un banco holandés es algo así como un bono de muy bajo riesgo con un vencimiento a 0 años. Un bono del Estado holandés o alemán podría considerarse como un bono de muy bajo riesgo. El tipo de interés de la cuenta de ahorro de libre disposición en los Países Bajos se ajusta a ello y actualmente se sitúa en torno al 0-0,35%.

Más largo plazo = más rendimiento

Los depósitos son cuentas de ahorro con vencimientos fijos y más largos. Por ello, los tipos de interés suelen ser también más elevados que en una cuenta de ahorro de libre disposición.

Se podría decir que están más a la derecha de la curva de rendimiento que una cuenta de ahorro de libre disposición, que está a la izquierda de la curva de rendimiento.

Depósito = no flexible, bono = flexible

Sin embargo, suele estar atado a ese depósito durante la duración del mismo. Comprando una **escalera de depósitos** (una serie de depósitos con vencimientos crecientes, por ejemplo uno de 0,5 años, uno de 1 año, uno de 2 años, etc.) se es más flexible, pero se sigue siendo menos flexible que con los bonos libremente negociables.

Una de las ventajas de un fondo de bonos frente a un depósito (escalera) es que puede venderlo en cualquier momento, por ejemplo para reequilibrarlo cuando las acciones caen o suben mucho.

¿Cuenta de ahorro temporal o depósitos en lugar de bonos?

Sin embargo, con los bajos rendimientos actuales (2021), es conveniente poner la parte estable de su cartera (en parte) como dinero en depósito o en una cuenta de ahorro. De este modo, no corre el riesgo (o lo hace en menor medida) de que su fondo de bonos baje de precio cuando los tipos de interés del mercado suban.

Por lo tanto, puede ser una gran alternativa a los bonos.

La consideración personal puede hacer que prefiera los bonos.

Invertir sistemáticamente en bonos en lugar de invertir temporalmente (en parte) en ahorros tiene la ventaja para muchas personas de no tener que preocuparse por el momento del mercado.

Las preguntas que estas personas tienen que responder por sí mismas son: "¿Cuándo salgo de los ahorros y vuelvo a los bonos? ¿Y cuándo vuelvo a pasar de los bonos a los ahorros?". Eso puede causar ansiedad.

El hecho de que los bonos sean libremente negociables también puede ser atractivo. Una vez que quiera reequilibrar, también puede hacerlo. Dependiendo del vencimiento de los depósitos, el dinero puede no estar disponible (inmediatamente) para reequilibrar.

Algunas consideraciones más que pueden argumentar a favor de los ahorros/depósitos así como de los bonos:

- Los bonos de calidad de inversión con un vencimiento medio producen fácilmente el doble de intereses que los ahorros de libre disposición.

- Una cuenta de ahorro o un depósito no tiene costes de transacción; un fondo de bonos puede tener costes de transacción.

- En cuanto los precios de las acciones caen bruscamente, los precios de los bonos gubernamentales seguros, en particular, suelen subir. La gente huye a los llamados refugios seguros. Si vendemos los bonos del Estado y utilizamos los ingresos para comprar acciones, de modo que la proporción de acciones y bonos vuelva a coincidir con nuestro apetito por el riesgo, obtendremos una mayor rentabilidad de nuestra venta. Este mayor rendimiento no se obtiene de una cuenta de ahorro, porque no aumenta su valor en cuanto las acciones pierden valor.

Invertir en bonos: ¿qué elegir?

Los bonos corporativos pueden ser mejores que los bonos del Estado porque suelen ofrecer una rentabilidad ligeramente superior a la de los bonos del Estado para el mismo perfil de riesgo, como se indica en los datos fundamentales para el inversor de ambos fondos.

¿Bonos corporativos o bonos del Estado?

Los bonos corporativos han demostrado ser más rentables que los bonos del Estado durante varios períodos de la historia.

Los rendimientos adicionales surgen principalmente porque conllevan más riesgo. Así que esto no es coherente con la información de la IEAC y la IEGA Essential Investor Information. Los bonos corporativos se parecen más a las acciones que los bonos del Estado.

Esto puede hacer que alguien abandone los bonos corporativos e invierta únicamente en bonos del Estado para la parte de bonos de su cartera.

Bonos con diferencial global cubiertos al euro

Vanguard aboga por bonos globalmente diversificados **y cubiertos** con el euro para los europeos. Esta opinión se basa en una combinación de aproximadamente un 20% de bonos corporativos y un 80% de bonos del Estado y otros préstamos garantizados en su mayoría por los gobiernos. Las conclusiones también se aplican al 100% de los bonos del Estado.

Una inversión en bonos globales le da acceso a una gama más amplia de préstamos, mercados, economías y entornos inflacionistas. Con ello, tiene más diversificación y dispone de una cartera más estable.

Lo más importante es excluir las fluctuaciones de las divisas mediante una cobertura en la moneda del propio país.

Vanguard muestra que los bonos globales con cobertura en euros muestran una volatilidad significativamente menor que los bonos europeos durante el periodo 1988-2017.

Invertir en bonos a nivel mundial también proporciona unas 4 veces más diversificación que invertir sólo en Europa.

Otro aspecto importante es que existe una correlación bastante baja entre los rendimientos de la deuda pública de los distintos países del mundo en los últimos 50 años. Si los tipos de interés suben en un lugar, pueden bajar en otro. En consecuencia, cuando se distribuyen los bonos del Estado por todo el mundo, se obtiene una cartera de bonos más estable.

Si se trata exclusivamente de bonos del Estado europeos, se corre un riesgo político. De los bonos gubernamentales europeos en IEGA, alrededor del 22% son italianos y el 14% son españoles. Ambos países tienen riesgos políticos que no todo el mundo quiere ver representados en su parte de bonos estables de su cartera de inversión.

Al invertir globalmente en bonos del Estado con cobertura en euros, se reparte el riesgo.

Xtrackers II Global Government Bond UCITS ETF (DBZB)

Existe un fondo de renta fija diversificada global que invierte en bonos del Estado de calidad al menos de grado de inversión, tiene cobertura en euros y mantiene físicamente los bonos en el fondo.

Se trata del Xtrackers II Global Government Bond UCITS ETF (ticker: DBZB, código ISIN: LU0378818131).

Este fondo ha pasado recientemente de la replicación sintética a la física.

Comprar acciones: ¿cómo hacerlo?

Las acciones y los bonos son ejemplos de los llamados valores. Se pueden comprar o vender muchas acciones y bonos en una bolsa de valores.

Para ello, la acción o el bono debe cotizar en esa bolsa. Entre las bolsas de valores más conocidas se encuentra la de Nueva York.

Una acción o un bono cotiza en bolsa a un precio determinado. Ese es el importe por el que se puede comprar o vender la acción. Si la empresa aumenta de valor, lo verá reflejado en el precio de la acción, por ejemplo.

Hoy en día, la negociación en las bolsas de valores se realiza principalmente de forma electrónica y digital. No es necesario viajar a Nueva York para empezar a invertir allí.

La inversión en el mercado de valores se puede hacer a través de un denominado **broker**.

¿Qué es un corredor?

Un corredor es un agente de bolsa y puede referirse tanto a una persona como a una empresa. La persona es la que negocia por sí misma, la empresa es la que emplea a los operadores. Cuando se trata de un operador en una bolsa de valores también se denomina corredor de bolsa.

A través de un agente de bolsa puede comprar y vender acciones, bonos, opciones y similares en el mercado de valores como individuo. El banco en el que usted realiza sus operaciones bancarias suele desempeñar también esta función. Hoy en día hay cada vez más empresas que no son bancos pero que ofrecen estos servicios. A menudo trabajan exclusivamente en línea. Un ejemplo de ello es DEGIRO.

Un agente de bolsa siempre trabaja por cuenta ajena. No puede operar en la bolsa por cuenta propia. Recibe órdenes de otras partes, como clientes privados y de inversores institucionales, como fondos de pensiones. Obtiene sus ingresos de la comisión de las transacciones.

Empezar a invertir: ¿qué acciones comprar?

Cuando empiece a invertir en acciones o bonos, puede hacerlo en acciones o bonos individuales. A continuación, tendrá que decidir qué empresa o empresas elegir.

Por ejemplo, puedes comprar una acción suelta de Apple.

Sin embargo, es prácticamente imposible elegir valores ganadores. Si el mercado espera que una acción o un sector lo haga relativamente bien, eso ya se tiene en cuenta en el precio de la acción en ese momento. Además, hay muchos aspectos imprevisibles que pueden influir en el precio, lo que hace que la mayoría de las veces se trate de una apuesta sobre qué acción lo hará bien.

Los mayores rendimientos los obtienen, sobre todo, quienes se limitan a invertir de forma bien diversificada y a bajo coste. Preferiblemente con una dispersión global, de modo que se dependa mínimamente de los altibajos regionales, por ejemplo, como consecuencia de la evolución política.

Invertir en fondos indexados o ETFs

Cuando empiece a invertir, también puede optar por invertir en miles de empresas a la vez. Para ello no necesita una gran suma de dinero. Puedes hacerlo con sólo unas decenas de euros.

Puede hacerlo simplemente comprando un fondo de inversión que incluya muchas acciones. Un **fondo indexado** o ETF es un ejemplo de ello.

¿Cuál es la diferencia entre un fondo indexado y un ETF?

Los términos ETF y fondo indexado se utilizan a menudo para el mismo tipo de fondo. Oficialmente, hay diferencias entre un fondo indexado y un ETF. Un fondo indexado puede negociarse una vez al día. El precio se determina sobre la base del valor neto de los activos (NAV) al final del día de negociación.

Las siglas ETF significan Exchange Traded Fund, es decir, un fondo que se negocia en el mercado de valores. Un ETF puede negociarse durante todo el día. El precio se determina sobre la base de un precio de compra y otro de venta.

Ejemplos de fondos indexados

Un índice de referencia es el conocido índice S&P500. Contiene las 500 empresas más grandes de Estados Unidos. La trayectoria de este índice en las últimas décadas es la siguiente: A corto plazo muestra considerables fluctuaciones, a largo plazo una subida constante.

También hay índices en los que están representadas todas las grandes empresas del mundo. Un fondo indexado o ETF que sigue un índice de este tipo contiene entonces acciones de miles de empresas.

Un excelente ejemplo es el Vanguard FTSE All-World UCITS ETF (**VWRL**). Permite invertir en más de 3.000 de las empresas más exitosas del mundo a través de un solo fondo.

Ventajas de los fondos indexados

Una de las ventajas de invertir en fondos indexados o ETF es que puede conseguir fácilmente una inversión bien diversificada a bajo coste. Una buena diversificación es necesaria para minimizar su riesgo.

Si una empresa funciona mal y usted tiene acciones en ella, puede sufrir mucho. Cuando esa empresa está en su fondo indexado junto con otras miles, apenas le afecta.

Otra ventaja de invertir en fondos indexados es que ya no es necesario entender los mercados y las empresas para empezar a invertir.

Otra gran ventaja de tener un fondo indexado es que las empresas con malos resultados en el índice se sustituyen automáticamente por empresas con buenos resultados. Así que no tiene que hacer nada usted mismo.

La última ventaja es el bajo coste que aportan los fondos indexados. Los costes bajos son necesarios para obtener una buena rentabilidad de sus inversiones. Comprar acciones sueltas es casi siempre más caro que comprar un fondo indexado debido a los mayores costes de transacción.

Popularidad de los fondos indexados y los ETF

En Estados Unidos, los fondos indexados y los ETF son populares desde hace tiempo. En Europa, también han aumentado en los últimos años. En todo el mundo se invierten ya más de **7,7 billones de dólares** en fondos indexados y ETF.

Proveedores de fondos de índices y ETFs

Los fondos indexados y los ETF son ofrecidos por las llamadas casas de fondos. **Vanguard** es uno de los mayores proveedores de fondos indexados y ETF del mundo, con unos activos invertidos de 6.200 millones de dólares. **iShares** y **Xtrackers** también son proveedores muy conocidos.

Vanguard es también la casa de fondos que más crece en el mundo. Según **las estimaciones, las** entradas en los fondos de Vanguard en el pasado reciente fueron de 289.000 millones de dólares en un año.

Una excelente combinación de un ETF de renta variable y un ETF de renta fija es el fondo anteriormente mencionado de Vanguard y, además, 1 ETF de renta fija de Xtrackers:

100% de bonos gubernamentales de todo el mundo con el riesgo de divisas cubierto al euro: Xtrackers II Global Government Bond UCITS ETF (**DBZB**)

Al invertir de este modo, apenas le afecta el mal rendimiento de una empresa concreta. Con esta cartera puedes obtener una media del 6-7% de rentabilidad neta a lo largo de varios años (por supuesto, esto no es una garantía).

Ahora vamos a explicar por qué puede ser conveniente tener un fondo indexado de bonos en su cartera además de un fondo indexado de acciones.

¿Parte de los bonos?

Durante la crisis de 2008, muchos inversores aprendieron a poner una parte importante de sus inversiones en **bonos** para mantener la tranquilidad durante una fuerte caída del mercado de valores.

Como se ha sugerido anteriormente, puede mantener su edad como un porcentaje de los bonos para su cartera.

La persona X tiene un 75% de acciones / 25% de bonos. La proporción de acciones / bonos viene determinada principalmente por su tolerancia personal al riesgo. Es decir, hasta qué punto puede soportar caídas bruscas de los precios sin salir del mercado.

Cuando la distribución de acciones y bonos de una cartera se desvía más de un 5% de la distribución deseada, puede optar por reequilibrarla hasta alcanzar la distribución deseada.

Los fallecidos son los mejores inversores

¿Es realmente una estrategia tan probada la de comprar y mantener sin sincronización con el mercado? Fidelity analizó qué cuentas de inversión se habían comportado mejor durante el periodo 2003 - 2013, incluyendo la crisis de 2008. Los resultados:

1. El fallecido
2. Las personas que habían olvidado que tenían una cuenta de inversión

Otras formas de inversión

Inversión en cuenta de ahorro y a través de depósitos

Puede ahorrar dinero a un tipo de interés fijo durante un plazo determinado en una cuenta de ahorro de depósito. Esto es relativamente seguro, pero da relativamente poco rendimiento.

Invertir en inmuebles

Se puede invertir en el sector inmobiliario, por ejemplo, comprando una vivienda y empezando a alquilarla. Para ello es necesario conocer el mercado para tener éxito.

Además, a través de este método de inversión en bienes raíces, usted tiene relativamente poca diversificación y por lo tanto corre un riesgo relativamente alto.

También puede invertir a través de corredores en fondos que invierten en bienes inmuebles por usted. Esto le permite conseguir una

diversificación mucho mayor. Los llamados
REIT son un ejemplo de ello.

Invertir en REITs para diversificar

En particular, las principales ventajas de los
REIT (*Real Estate Investment Trusts*) son la
diversificación que proporcionan en una
cartera y la protección contra la inflación.

La diversificación de la cartera es algo
bueno. Puede optar por mirar más allá de las
acciones y los bonos. Pero de vez en cuando,
la volatilidad de algunos *activos duros*, como
los bienes inmuebles y las materias primas,
se dispara. Ese tipo de repunte a corto plazo
plantea inmediatamente cuestiones sobre el
riesgo y la rentabilidad.

Las ventajas de los REITs residen
principalmente en la diversificación que
ofrecen y la protección contra la inflación.
Estas son características más importantes

que los rendimientos excepcionales a corto plazo. Gracias a la oferta global de los REIT, los inversores pueden ahora invertir en inmuebles comerciales de forma líquida.

Si la renta variable estadounidense lo hizo excepcionalmente bien el año pasado, este año está siendo mucho más difícil. Pero los REITs han tenido un buen comienzo. Sólo en los últimos tres meses, el ETF de REITs de Vanguard ha obtenido una rentabilidad del 9%.

Los REIT, *Real Estate Investment Trusts*, son fondos que obtienen sus ingresos de inversiones inmobiliarias. Cotizan en bolsa y se negocian como acciones. Ofrecen a los inversores privados la oportunidad de invertir en inmuebles comerciales. Los inmuebles de inversión también pueden proporcionar cierta protección contra la inflación, ya que los ingresos por alquileres aumentan en épocas de inflación, al igual que el valor del inmueble.

Algunos inversores optan por inversiones inmobiliarias diversificadas a nivel internacional. Una ventaja es la dispersión y la baja correlación con el resto de la cartera e incluso con la propia vivienda.

A más largo plazo, los REIT y la renta variable ofrecen rendimientos equivalentes. De 1990 a 2014, la rentabilidad anualizada del índice S&P Global REIT fue del 8,94%. Durante ese periodo, el S&P 500 obtuvo un 9,26% y el índice MSCI ALl Country World un 6,75% anualizado.

Durante ese periodo de 25 años, la correlación entre el índice REIT y el S&P 500 fue de 0,61. Con los *bonos con grado de inversión*, la correlación es muy baja, hasta negativa. Si se vinculan clases de activos con baja correlación, se reduce la volatilidad

de la cartera. Si invierte en REITs además de
en acciones y bonos, aumentará la
rentabilidad ajustada al riesgo de su cartera.

Invertir a través del crowdfunding

El crowdfunding es una forma de invertir en la
que se presta dinero a un grupo de personas,
por el que luego se reciben intereses. Invertir
en crowdfunding es, por lo general, más
arriesgado que invertir en fondos indexados,
ya que la diversificación es mucho menor.

Invertir en oro

La inversión en oro, al igual que la inversión en
plata, es popular en tiempos de agitación
económica y política. El oro es entonces
considerado un refugio seguro por muchos.

Invertir en oro es relativamente fácil
comprando un fondo que invierta en oro por
usted. Un ejemplo muy conocido es
WisdomTree Physical Gold (ISIN:
JE00B1VS3770). Se puede comprar o vender a
cualquier hora del día durante el horario de
apertura de la bolsa.

A largo plazo, la inversión en acciones suele ser más rentable que la inversión en oro.

Invertir en criptodivisas

La inversión en criptodivisas, como la inversión en **bitcoins**, es considerada por algunos como responsable y por otros como una especulación irresponsable.

Invertir en criptodivisas implica riesgos relativamente altos; los precios están sujetos a grandes fluctuaciones.

Inversión sostenible

La inversión sostenible está en auge. Sin embargo, hay que tener en cuenta una serie de puntos.

ETFs sostenibles: categorías

Dentro de los ETFs sostenibles, hay varias categorías.

- Fondos ESG
- Fondos ISR
- Inversión de impacto.

Inversión sostenible con criterios ASG

¿Qué son los criterios ESG?

Los criterios ASG son normas de conducta empresarial en los ámbitos (E = Medio Ambiente), (S = Social) y (G = Gobernanza) que los inversores pueden utilizar para seleccionar posibles inversiones. El principal objetivo de una evaluación ASG es determinar el impacto de los criterios ASG en los resultados financieros.

El impacto en la sostenibilidad no es primordial.

Diferencias entre los ETFs ESG

Cuando dos ETFs llevan el término ESG en su nombre, no significa que estén compuestos con los mismos criterios ESG.

Actualmente existe una gran maquinaria de comercialización en el rincón sostenible de la industria financiera. Hoy en día, en Estados Unidos, los ETFs ordinarios, no ESG, ya cuestan a menudo tan sólo alrededor del 0,02% en comisiones continuas al año (el 0% es incluso común). Las alternativas ESG se comercializan a menudo con tarifas aproximadamente 10 veces superiores.

Agencias de calificación ESG

En primer lugar, hay varias empresas que crean criterios e índices ASG, que los fondos cotizados siguen. Estas empresas se denominan agencias de calificación ASG. Los criterios ASG utilizados por cada agencia de calificación ASG difieren, y los intereses comerciales de la agencia y del fondo calificado pueden desempeñar un papel.

A veces se denuncia la falta de convergencia y la (a veces) pésima transparencia de las evaluaciones y clasificaciones ESG.

Nota: Cuando MSCI asigna a una empresa una puntuación alta en materia de ASG, esa misma empresa puede obtener una puntuación muy inferior a la media en Sustainalytics. Además, las grandes empresas suelen obtener una mayor puntuación en materia de ASG que las pequeñas, simplemente porque tienen la capacidad de informar mejor.

¿Quiere saber más sobre la clasificación de las agencias de calificación ESG?

Visite este sitio web:

https://www.sustainability.com//thinking/rate-the-raters-2020/

Índices ESG

Las agencias de calificación ESG crean los índices que siguen los ETF. Además del hecho de que hay varias agencias de calificación ESG, cada una de estas agencias de calificación ESG casi siempre tiene una gama de diferentes índices ESG para que las casas de fondos puedan elegir. Una de las agencias de calificación más conocidas, MSCI, tiene ya más de 1.000 (¡!) índices ESG disponibles.

Por ello, es muy difícil comparar los ETFs ESG entre sí.

Principio de selección ESG

Un fondo de índice ASG suele hacer una selección de empresas que, por sector, obtienen la mejor puntuación en criterios ASG. Puede darse el caso de que se incluyan en la selección empresas con buena puntuación en S y G pero no en E.

La mayoría de los fondos ESG seleccionan las empresas más sostenibles por sectores y, por tanto, no excluyen sectores. Esa es la razón por la que todavía se ven empresas de petróleo/gas en los ETFs ESG.

En términos de impacto en la sostenibilidad, se podrían considerar los criterios ESG como una forma leve de selección.

Inversión sostenible con criterios ISR

¿Qué son los criterios de la ISR? ISR son las siglas de Socially Responsible Investing, o inversión socialmente responsable. Va un paso más allá de la ESG, eliminando o seleccionando activamente las inversiones sobre la base de directrices éticas específicas. Los criterios ISR utilizados pueden variar enormemente de un fondo a otro.

Inversión sostenible a través de la inversión de impacto

Con la inversión de impacto, el impacto positivo de la inversión tiene prioridad sobre el resultado positivo de la misma. Invertir en una organización sin ánimo de lucro dedicada a la investigación y el desarrollo de energías limpias, independientemente de que el éxito esté garantizado, es un ejemplo.

El cumplimiento de los objetivos de desarrollo sostenible de la ONU también se utiliza a veces como criterio de selección en la inversión de impacto.

Impacto en la sostenibilidad

Si quiere contribuir a un mundo más sostenible con sus inversiones en fondos indexados, entonces, sencillamente, hay 2 vías:

1. Invierte en fondos indexados sostenibles.
2. Invierte en fondos indexados regulares y destina los rendimientos de sus inversiones a financiar objetivos sostenibles al margen de sus inversiones.

Rendimiento de los fondos sostenibles

No parece haber un consenso real sobre si los fondos sostenibles funcionan mejor o peor que los no sostenibles.

Los estudios demuestran que la inversión de impacto, que como se ha mencionado es un ejemplo de ISR, no suele ser la forma más eficiente de tener un impacto positivo con su dinero. Según esa investigación, puedes aumentar significativamente tu impacto en causas sostenibles pasando de la inversión de impacto a la inversión regular con el objetivo de donar a organizaciones benéficas o donando ya tu dinero directamente a organizaciones benéficas.

En resumen, al invertir en ETFs, es importante darse cuenta de que el rendimiento de los ETFs sostenibles puede diferir sustancialmente de los ETFs convencionales no sostenibles.

Elegir ETFs sostenibles o no sostenibles

Es muy personal la elección que más le convenga. Por ejemplo, si por motivos morales simplemente no quieres invertir en empresas que no operan de forma sostenible, entonces tu elección recaerá en los ETFs sostenibles.

Puede elegir utilizar parte de los ingresos de sus inversiones para apoyar iniciativas sostenibles o sociales sin que el beneficio financiero sea un factor para mí.

Además, puedes vivir de forma consciente y sostenible en varios frentes, como **conducir poco y en silencio**, sustituir la ropa sólo **cuando esté gastada** y utilizar energía de un **proveedor sostenible**.

Inversión sostenible: ¿qué fondos elegir?

A la hora de elegir un ETF sostenible, lo primero que hay que tener en cuenta es qué industrias o sectores se quieren excluir. Cuantas más industrias excluya, más sostenible será su perfil. Y más probable es que la rentabilidad financiera de su fondo difiera de la de un ETF de inversión global diversificada sin un enfoque específico en sólo empresas sostenibles.

Para empezar, prácticamente todos los ETF sostenibles excluyen las industrias del tabaco, las armas controvertidas, el sexo y el juego, así como las empresas que han cometido graves abusos de los derechos humanos en los últimos años. Los fondos ESG más livianos no suelen excluir aún la industria petrolera.

Normalmente, hay 6 criterios que un ETF debe cumplir para ser calificado como bueno, como se ha explicado anteriormente en este libro.

Uno de estos criterios es que un fondo debe tener un tamaño suficiente. Esto lo hace más eficiente y, por tanto, más barato. También hace que sea más fácil de negociar (más "líquido"), lo que reduce el **diferencial** durante la compra y la venta. Y también hace más probable que el fondo siga siendo estable.

Dado que muchos ETF sostenibles llevan relativamente poco tiempo en el mercado, suelen ser muy pequeños.

Mercados desarrollados y emergentes

Hay una división de ETFs sostenibles que siguen un índice para los mercados desarrollados (MSCI o FTSE World Index) y para los mercados emergentes (MSCI Emerging Markets). De hecho, casi todos los ETF sostenibles se dividen en esta subdivisión geográfica.

El índice MSCI o FTSE World no incluye países emergentes (mercados emergentes), como China. Si quiere estar diversificado a nivel mundial, necesita en su cartera alrededor del 88% de un ETF de mercados desarrollados sostenibles y alrededor del 12% de un ETF de mercados emergentes sostenibles. Estos porcentajes pueden cambiar con el tiempo.

ETFs sostenibles: ¿los mejores fondos?

¿En qué hay que fijarse para elegir un ETF sostenible? Cuáles son los mejores ETFs sostenibles?

La inversión sostenible está en alza. Los millennials, en particular, quieren invertir de forma sostenible, en contraste con los inversores algo mayores. Por ejemplo, en EE.UU., los inversores de más edad siguen poseyendo alrededor del 70% de los activos disponibles.

Pero en las próximas décadas, heredarán esto, con un valor de unos 30 billones de dólares, a los actuales millennials en particular. Se trata de **uno de los mayores desplazamientos de riqueza de** la historia.

Entonces, ¿qué hay que buscar en la inversión sostenible a través de los ETF?

Más información sobre un fondo

Si busca en Internet el código ISIN de las descripciones anteriores en combinación con la palabra "fact sheet", normalmente encontrará inmediatamente una descripción general de las características del fondo.

Coste de los fondos indexados

Dado que los fondos tienen una composición tan diferente, compararlos por su coste no tiene mucho sentido. Lo que importa al final es el rendimiento una vez deducidos todos los costes. En ellos influye mucho la composición de los ETF.

Sin embargo, todos los ETFs mencionados anteriormente tienen costes relativamente bajos. Además, los fondos de Northern Trust, los fondos de Actiam y el Vanguard SRI FTSE Developed World II Common Contractual Fund son los menos afectados por la **fuga de dividendos debido a** su estatus fiscal especial.

Riesgos de la inversión en acciones

Mucha gente tiene miedo de invertir en acciones y ver el riesgo. Pero al ahorrar en lugar de invertir, podrías estar haciéndote mucho más daño del que crees.

¿Cuáles son los riesgos de invertir en acciones, cómo se pueden reducir, y qué rendimiento tienen la inversión y el ahorro?

A corto plazo, las acciones pueden bajar o subir mucho de valor. A continuación, analizamos algunos de los riesgos asociados a la inversión en acciones.

¿Qué es el riesgo de precio?

El riesgo de precio es el riesgo de que las acciones de una empresa pierdan valor a medida que se deterioran las condiciones económicas generales.

Esto también se conoce como riesgo de mercado. Por ejemplo, un deterioro del mercado puede hacer que una empresa obtenga peores resultados. Como consecuencia, las acciones de esa empresa pueden perder valor.

¿Qué es el riesgo de cambio?

El riesgo de divisas es el que se corre cuando se invierte en una moneda distinta del euro.

Si va a invertir en acciones, puede hacerlo en diferentes monedas. Las más comunes son el euro y el dólar.

Si quiere liberar dinero de las inversiones en dólares, tiene que lidiar con el tipo de cambio de la moneda con la que está actuando. El riesgo de una depreciación de la moneda se denomina riesgo cambiario.

¿Qué es el riesgo de tipo de interés?

El riesgo de tipo de interés es el riesgo de que el valor de las inversiones baje si los tipos de interés del mercado suben.

Lo contrario puede ocurrir cuando los tipos de interés del mercado bajan. En Europa, el BCE ha mantenido los tipos de interés bajos, incluso negativos, en los últimos años. Esto ha contribuido a que, para los europeos, los precios de las acciones hayan subido considerablemente. La bajada de los tipos de interés se ha traducido en una reducción de los costes de los intereses para las empresas. Esto anima a las empresas a invertir y puede impulsar los beneficios.

¿Qué es el riesgo de crédito?

El riesgo de crédito es el riesgo de que la empresa en la que invierte se quede sin dinero para cumplir con sus obligaciones.

Esto significa, por ejemplo, que no se pagarán dividendos por su inversión en acciones. O en el caso extremo de que la empresa quiebre y tus acciones no valgan nada.

¿Qué es el riesgo de liquidez?

El riesgo de liquidez es el riesgo de que no pueda negociar sus acciones en el mercado de valores, o que sólo pueda hacerlo con dificultad y a un precio desfavorable. Sus inversiones no son entonces "líquidas".

Si no negocia mucho en el mercado de valores, sino que invierte a largo plazo, no tendrá que lidiar con este riesgo fácilmente.

¿Pueden las acciones adquirir un valor negativo?

No, las acciones nunca pueden tener un valor negativo. Si una empresa en la que usted tiene acciones quiebra, en el caso extremo su inversión puede perder su valor. Pero nunca tendrá que pagar más en ese caso.

¿Qué es el riesgo de retención?

El riesgo de custodia es el riesgo de que algo vaya mal en la custodia de sus acciones por parte de su banco o agente.

Su banco o corredor de bolsa mantendrá sus acciones en su nombre. Los bancos y corredores están obligados a mantener los activos invertidos de sus clientes separados de sus propios activos. De este modo, sus activos seguirán siendo suyos en el improbable caso de que el banco o el corredor quiebre.

Si algo va mal con esta custodia, el **sistema de indemnización de los inversores** está ahí para compensar hasta 20.000 euros de los activos invertidos por banco o corredor. Pero en casos extremos, el riesgo puede persistir, por ejemplo, si has invertido más de 20.000 euros a través de una parte y, en contra de todas las normas, algo va mal.

¿Qué es el riesgo de contraparte?

Si es titular de un fondo de inversión compuesto por participaciones individuales, su banco o agente de bolsa debe mantener ese fondo por separado para usted, al igual que las participaciones individuales. A continuación, las acciones subyacentes del fondo se mantienen en custodia o son custodiadas por el propio emisor del fondo. En este último caso, la casa de fondos corre el llamado riesgo de contrapartida.

El riesgo de contraparte es el riesgo de que la contraparte, a la que el fondo de inversión ha dado la custodia de las acciones subyacentes, no pueda cumplir con sus obligaciones.

También hay todo tipo de normas estrictas al respecto, pero nunca se tiene la certeza al 100% de que todo vaya a salir bien al final.

¿Qué rendimiento tienen los ahorros y las inversiones?

Los ahorros parecen una forma estable de guardar su dinero. Pero hoy en día, en muchos países, los ahorros te garantizan una rentabilidad negativa considerable.

Hoy en día, los ahorros rinden como mucho unas décimas de interés al año si se mantienen en un depósito durante un periodo más largo. Los ahorros de libre disposición ya no suelen producir intereses.

Si a continuación se incluye una tasa de inflación media del 2-3% anual y posiblemente también **el impuesto sobre las plusvalías del 0,59-1,76%**, pronto se llega a la rentabilidad negativa del 4% anual. Con un 4% de rentabilidad negativa al año, si invierte 1.000 euros ahora, sólo le quedarán 442 euros dentro de 20 años.

A corto plazo, las acciones pueden caer bruscamente en valor o subir. Los rendimientos pueden fluctuar mucho a corto plazo, pero subir de forma constante a largo plazo.

Las fluctuaciones a corto plazo hacen que las acciones sean una inversión arriesgada a corto plazo. Por ello, la regla general suele ser mantener el dinero que se desea invertir en acciones durante al menos 5-10 años.

Históricamente, la inversión en acciones rinde **casi un 10% al** año. Si se resta el 4% por la inflación y el impuesto sobre las ganancias de capital, se obtiene un rendimiento positivo del 6% anual.

Con un 6% de rentabilidad positiva al año, ponga 1.000 euros ahora y tendrá 3.207 euros dentro de 20 años. Es una gran diferencia con respecto a los 442 euros después de 20 años de ahorro.

Nadie puede asegurarle cómo evolucionarán los precios de las acciones en el futuro. Siempre existirá el riesgo de perder (parte de) su inversión. Pero ¿qué puede hacer para limitar los riesgos de invertir en acciones?

Limitar el riesgo invirtiendo en renta variable

Lo más importante que puedes hacer es repartir tus inversiones entre muchas empresas y países. Así se reducen considerablemente los riesgos. Esto se puede hacer muy fácilmente hoy en día a través de los llamados **ETF** o **fondos de índice**.

A través de un buen ETF como **VWRL o VWCE** (Vanguard FTSE All-World UCITS ETF) o de algunos buenos fondos indexados como los de **Northern Trust**, usted invierte en miles de empresas de todo el mundo. De este modo, se reparte entre las empresas y las regiones y se reduce el impacto en el resultado de la inversión de unas pocas empresas o países de bajo rendimiento.

Cuando se reparten las inversiones en ETFs entre unas cuantas casas de fondos, se reduce el riesgo de custodia asociado al fondo. También podría repartirse entre bancos y agentes de bolsa, ya que parte del riesgo de custodia consiste en reducirlo.

Reequilibrio para obtener el máximo rendimiento de la inversión

El reequilibrio puede ayudarle a obtener el mayor rendimiento de la inversión con el menor riesgo.

Para ser un inversor de éxito hay que comprar barato y vender caro. Los inversores que se guían por las emociones suelen hacer exactamente lo contrario. Compran cuando el mercado lleva un tiempo subiendo y venden cuando el mercado lleva un tiempo bajando.

El reequilibrio le permite no dejarse llevar por las emociones y comprar barato y vender caro.

¿Qué es el reequilibrio?

El reequilibrio consiste en restablecer la combinación de inversiones objetivo de su cartera de inversiones cuando la combinación de inversiones actual ya no coincide con la combinación de inversiones objetivo.

Una cartera de inversión tiene una determinada combinación de inversiones en diferentes fondos, por ejemplo, acciones y bonos.

Dado que las inversiones en renta variable y en renta fija no crecen al mismo ritmo, la combinación de inversiones puede empezar a desviarse de la combinación de inversiones prevista. Esto puede rectificarse mediante un reequilibrio.

El reequilibrio permite reducir el riesgo de la cartera y aprovechar el fenómeno de la reversión media.

Reversión media

La teoría de la reversión a la media sugiere que, tarde o temprano, los rendimientos de las acciones vuelven a sus rendimientos medios. El índice S&P500 tuvo una rentabilidad media del 10% anual entre 1928 y 2014. Pero algunos meses o años esta rentabilidad fue muy superior o inferior a la media.

Así que si tenemos meses o años de rendimiento superior a la media, lo más probable es que vayan seguidos de meses o años de rendimiento inferior a la media. Lo mismo ocurre a la inversa. Los rendimientos vuelven a su media.

Calendario del mercado

Hay muchos inversores que creen que pueden predecir cuándo caerán o subirán los precios. Esto se llama "market timing". Los inversores que intentan cronometrar el mercado tienden a socavar sus rendimientos. Suelen comprar cuando los precios ya están subiendo. Y venden, a menudo incluso con pánico, cuando los precios ya están bajando. Esto es mortal para sus rendimientos.

La sincronización del mercado y el índice S&P500

La rentabilidad del índice S&P 500, el más famoso del mundo, durante el periodo 1996-2010 estuvo determinada por sólo 10 días, que no pueden predecirse de antemano. Si no hubiera invertido en los 10 días con mayores subidas de precios, su rentabilidad no habría sido la media del 6,7% anual, sino sólo el 1,88%. Si no hubiera invertido en los 60 mejores días de bolsa, habría tenido incluso una rentabilidad negativa. Esos días únicos de grandes subidas y bajadas de precios no son predecibles.

¿Cuánto y con qué frecuencia hay que reequilibrar?

Supongamos que tiene el 50% del valor de su cartera invertido en acciones y el 50% en bonos, exactamente como quiere que esté dividido. Si los precios de las acciones suben un poco ahora, puede, por ejemplo, tener el 51% del valor de su cartera en acciones y el 49% en bonos. Así no tendrá que reequilibrar inmediatamente. Los costes de transacción pueden entonces pesar relativamente en su rendimiento.

Reajuste anual

Quizá la forma más fácil de evitar un reajuste excesivo sea reajustar anualmente. Es un método muy sencillo, pero el inconveniente es que en ese periodo pueden cambiar muchas cosas en los volátiles mercados actuales.

Reequilibrio de umbrales

Una alternativa es reequilibrar cuando la distribución difiere de la deseada en más de, por ejemplo, un 5%. En nuestra cartera 50-50, esto significa que debe reequilibrar cuando el valor de la participación de las acciones o los bonos represente más del 55% de su cartera. A menudo se recomienda el 5% como umbral.

Reequilibrio en la inserción

Puedes invertir mensualmente cuando cobres tu sueldo. En ese momento puedes hacerlo con el fondo que peor se haya comportado.

Eso también es rebalancear un poco. Comprar contra el sentimiento, es decir, ese fondo que se comporta peor. Pero eso es exactamente lo que hay que hacer desde el punto de vista de la reversión a la media. Con eso, siempre compras relativamente bajo.

Recuerde que los mercados alcistas no duran para siempre y que la reversión a la media es muy poderosa. Los mercados en movimiento requieren un reequilibrio. Y su éxito a largo plazo vendrá determinado por la disciplina, el control del riesgo y la compra a bajo precio o la venta a alto precio.

Riesgos generales de inversión

Con una inversión en acciones, se corre más riesgo a corto plazo que con una inversión en bonos. Las acciones pueden perder repentinamente su valor en decenas de puntos porcentuales. Los bonos fluctúan mucho menos en valor y, por tanto, proporcionan estabilidad y seguridad. Sin embargo, a largo plazo, las acciones ofrecen una mayor rentabilidad por el riesgo asumido.

La proporción en la que incluya acciones y bonos en su cartera viene determinada principalmente por el tiempo que quiera mantener las inversiones (su horizonte de inversión) y su apetito de riesgo.

Su horizonte de inversión determina el riesgo que puede asumir. Cuanto más largo sea su horizonte de inversión, más riesgo podrá asumir.

Pero no se trata sólo del riesgo que puede asumir, sino también de cuánto riesgo está dispuesto a asumir. En otras palabras, cuál es la pérdida máxima aceptable en condiciones bursátiles adversas que puede correr sin vender acciones por pánico. A esto se le llama su apetito por el riesgo.

Para un principiante, probablemente sea prudente asumir un poco menos de riesgo que para un inversor avanzado. Al fin y al cabo, un principiante aún no sabe cómo reaccionará ante una fuerte caída de la bolsa. Como se ha mencionado, el truco consiste en no vender sus inversiones. Por el contrario, debe vender bonos y comprar más acciones para poder volver a su relación predeterminada entre acciones y bonos.

John Bogle, uno de los fundadores de Vanguard, utilizó la regla general de que uno debe tener tantos bonos en su cartera como su edad. Así, una persona de 30 años debería tener un 30% de bonos en su cartera.

Inserción y reajuste automáticos

Si te resulta tedioso decidir por ti mismo en qué invertir cada mes, también puedes hacer que te lo depositen automáticamente.

Rendimiento de las inversiones

El coste de la inversión determina en gran medida la rentabilidad a largo plazo. Con sólo un 0,1% de costes adicionales al año, se garantiza que al cabo de 30 años no se pierden 30 * 0,1% = 3% de rentabilidad, sino el 21%. Consulte la sección "Costes bajos" en el post **Elegir fondos indexados, 6 puntos a tener en cuenta** para la explicación.

Hoy en día se puede invertir con costes extraordinariamente bajos. A través de diversas plataformas, por ejemplo, se puede invertir sin gastos de transacción ni de custodia en el mencionado Vanguard FTSE All-World UCITS ETF (VWRL), diversificado a nivel mundial.

¿Cuál es un buen momento para comprar acciones?

Si quiere empezar a invertir, normalmente obtendrá la mayor rentabilidad a largo plazo si lo deposita todo de una vez. Incluso cuando las bolsas están aparentemente altas, suele ser más rentable a largo plazo invertir que esperar a que la bolsa haya caído.

Si ha invertido, es prudente no mirar atrás. Así no tendrás la tentación de vender si los precios caen. Y esa es la principal razón por la que la gente tiene pérdidas al invertir.

Como ya se ha dicho, el truco no consiste en vender durante las caídas de la bolsa, sino en reequilibrarla. Porque después de vender es casi seguro que se pierda la recuperación que siempre sigue.

Un dicho al respecto es: el tiempo en el mercado es mejor que la sincronización del mercado.

¡Vende!

Lo alto que están los precios de las acciones. ¿Debo invertir ahora? ¿Y de una vez o por etapas? ¿No sería mejor recoger beneficios ahora y vender?

Una buena estrategia es la de comprar y mantener, combinada con un cierto reajuste, independientemente de las noticias. Y seguir invirtiendo sistemáticamente en cuanto haya dinero disponible.

A largo plazo

Es importante tener en cuenta que sólo debes empezar a invertir en acciones si lo haces a largo plazo. Algo así como 10 años. El mercado de valores es tan volátil que, si inviertes a corto plazo, puedes sufrir demasiado por una caída temporal y brusca.

A largo plazo, la tendencia viene determinada principalmente por el crecimiento real de las empresas subyacentes y menos por la especulación a corto plazo, que es lo que provoca las violentas fluctuaciones de los precios.

El crecimiento de la economía mundial es robusto y ha mostrado una tendencia al alza durante muchos años. La crisis de 2008 no ha sido más que una onda.

¿Salida temporal?

Si fuera tan fácil cronometrar el mercado, todo el mundo lo haría. De hecho, intentar cronometrar el mercado es la principal razón por la que muchas personas no tienen éxito como inversores.

Muchos inversores experimentados aprendieron por ensayo y error durante la crisis de 2008 que quedarse quieto durante una crisis habría sido mucho mejor que salirse temporalmente.

La rentabilidad del índice S&P 500, el más famoso del mundo, durante el periodo 1996-2010 estuvo determinada por sólo 10 días, que no pueden predecirse de antemano. Si no hubiera invertido en el S&P 500 durante los 10 días con mayores subidas de precios, su rentabilidad no habría sido la media del 6,7% anual, sino sólo del 1,88%. Si no hubiera invertido en los 60 mejores días bursátiles, habría tenido incluso una rentabilidad negativa.

Esos días de grandes subidas y bajadas de precios son imposibles de predecir. Así que comprar y mantener en lugar de intentar entrar y salir en el "momento adecuado" es una obviedad.

Los precios de las acciones no siguen subiendo, ¿verdad?

Las cosas nunca son tan sencillas como parecen y nunca se puede predecir el futuro. Es muy posible que, a pesar del mercado alcista de los últimos años, nos espere otro potente repunte bursátil.

Un mercado alcista de este tipo también se denomina **mercado alcista**. Nadie puede predecirlo. Históricamente, la subida de los últimos años no ha sido tan espectacular.

Nadie puede asegurar que el mercado deba bajar o subir. Sin embargo, el mercado *puede* seguir subiendo.

¿Ingresar una gran suma de dinero de una sola vez o repartirla a lo largo del tiempo?

Como inversor (principiante), para limitar el riesgo de pérdida debido a las caídas repentinas de los precios, puede repartir un único depósito de mayor cuantía a lo largo de varios meses, por ejemplo.

Sin embargo, para los inversores algo más experimentados, suele ser más rentable realizar ese depósito de una sola vez directamente.

¿El 100% de las acciones?

Puede ser tentador estar al 100% en acciones con sus inversiones en este mercado alcista. Sin embargo, lo importante es que pueda mantener la cabeza lo suficientemente fría como para no vender en pánico en cuanto el mercado empiece a caer de forma significativa. Tarde o temprano, ese descenso siempre se produce.

El truco es no salirse. Porque eso es desastroso para sus rendimientos, ya que tanto salir en el momento adecuado como entrar en el momento adecuado son prácticamente imposibles. Por cierto, el mercado siempre se recupera. Por eso es tan importante el horizonte a largo plazo.

Pilares de la estrategia de inversión

El autor y el editor de este libro no son asesores profesionales. Usted es el único responsable de cualquier daño que sufra por seguir los consejos o la información de este sitio. La información contenida en este libro incluye la opinión personal del autor; no es un consejo de inversión y tiene el único propósito de ser informativo y educativo. Tenga en cuenta que invertir implica riesgos, puede perder su depósito (en parte).

3 pilares

1. Mantenga siempre una reserva de efectivo para emergencias

2. Invertir en fondos indexados con aplazamiento de impuestos

3. invertir a partir de ahora en algunos fondos indexados diferentes y en una

escalera de depósitos a través de varios

proveedores

Conclusión:

Al empezar a invertir es importante que entienda lo que está haciendo. Si no entiendes una inversión, es mejor ignorarla.

Tal vez las publicaciones citadas puedan servirle para empezar a adquirir conocimientos básicos sobre la inversión en acciones y bonos. Una actividad muy probablemente lucrativa si se utiliza de forma inteligente!

Jerga

Los términos "dollar-cost averaging" (DCA) y
"lump-sum investment" (LSI): DCA significa
que usted pone su suma de dinero en
porciones iguales repartidas a lo largo del
tiempo. LSI significa que usted pone su suma
de dinero en una sola vez.

PREGUNTAS FRECUENTES

¿Cuál es la mejor manera de empezar a invertir?

Invertir en los llamados fondos indexados o ETFs, buenos y ampliamente diversificados, suele ser la mejor manera.

¿Es arriesgado invertir?

A corto plazo, existe una alta probabilidad de que se produzcan importantes fluctuaciones de precios. A largo plazo, la probabilidad de obtener rendimientos positivos con la inversión ha sido históricamente muy alta. Mucho mayor que con el ahorro.

¿Qué categorías de ETF sostenibles existen?

Dentro de los ETFs sostenibles, hay diferentes categorías. Tenemos los llamados fondos ESG, los fondos SRI y la inversión de impacto.

¿Cuáles son los mejores ETFs sostenibles?

Esto varía según la categoría de sostenibilidad.